Pe. FERDINANDO MANCILIO, C.Ss.R.

As Mulheres rezam o Terço

EDITORA
SANTUÁRIO

Direção editorial: Pe. Fábio Evaristo R. Silva, C.Ss.R.
Coordenação editorial: Ana Lúcia de Castro Leite
Copidesque: Luana Galvão
Revisão: Ana Lúcia de Castro Leite
Diagramação e Capa: Bruno Olivoto

**Dados Internacionais de Catalogação na Publicação (CIP)
(Câmara Brasileira do Livro, SP, Brasil)**

Mancilio, Ferdinando
  As mulheres rezam o Terço / Ferdinando Mancilio. – Aparecida, SP: Editora Santuário, 2017.

  ISBN 978-85-369-0472-6

  1. Mistérios do Rosário 2. Mulheres – Vida religiosa 3. Rosário 4. Terço (Cristianismo) I. Título.

16-09144   CDD-242.74082

Índices para catálogo sistemático:

1. Terço para mulheres: Orações marianas:
   Cristianismo 242.74082

4ª impressão

Todos os direitos reservados à EDITORA SANTUÁRIO – 2020

Rua Pe. Claro Monteiro, 342 – 12570-000 – Aparecida-SP
Tel.: 12 3104-2000 – Televendas: 0800 - 16 00 04
www.editorasantuario.com.br
vendas@editorasantuario.com.br

Introdução

"Jesus andava por cidades e aldeias, pregando e anunciando a Boa Nova do Reino de Deus. Iam com ele os Doze e também algumas mulheres que haviam sido curadas de espíritos maus e enfermidades: Maria, chamada Madalena, da qual tinham saído sete demônios; Joana, esposa de Cuza, administrador de Herodes; Suzana e muitas outras, que lhe prestavam assistência com seus bens"
(Lc 8,1-3)

Em tempos de profundas crises e de violência na sociedade e na vida da mulher, quisemos oferecer uma pequena colaboração a ela, digna criatura de Deus. Este subsídio pastoral tem por finalidade favorecer a organização e a oração do "Terço das Mulheres", que, juntamente com o "Terço dos Homens", vem ganhando seu espaço oracional nas Comunidades e Paróquias.

É fato importante e necessário em nossa fé reunir-se em Comunidade para a oração, para a participação na Sagrada Eucaristia e nas obras de caridade. Jamais podemos nos esquecer de que a Eucaristia é, por excelência, a oração do cristão e a fonte imprescindível de nossa fé. Tudo deve convergir para a Eucaristia e dela partir.

A pessoa da mulher é uma força dentro da Comunidade cristã. Manifestam-se nela a gratuidade do amor, a dedicação nos serviços comunitários e, ainda, a dignidade com que foi criada por Deus, a Ele respondendo com ternura, bondade e amor. A vocação da mulher na Igreja e no mundo é uma riqueza imensa. Por isso ela deve ser amada, respeitada e sempre considerada em sua ação e dignidade.

Quando nos reunimos em Comunidade, ali estamos em nome de Cristo. Desde o sair de casa para se reunir na Comunidade até as incumbências de maior responsabilidade, devemos ter a atitude profunda da fé. É o Senhor que nos chama por meio de sua Palavra, que nos faz sentir de perto a presença do Reino e abre nossa consciência para o crescimento nele. Reunir-se em Comunidade é um ato profundo de fé, de esperança, pois interroga a quem está isolado, vive no individualismo ou ainda deixou Deus de lado. Juntos, em Comunidade, temos mais força, e assim carregamos os fardos uns dos outros. A

Introdução

Oração do Terço é uma rica oportunidade para nossa união, fraternidade e manifestação da fé em Cristo Jesus.

Este subsídio quer ajudar as mulheres a crescerem na vida de amor a Deus e na santidade, na comunhão e na fraternidade. Certamente, encontrarão, na união e na oração, a força necessária para superar e vencer as dificuldades e até os sofrimentos.

Esperamos que ele ajude e responda com suficiente efeito ao que ele se propõe. Foi feito com atenção e com o desejo de elas terem sempre seu "Coração em Cristo" e em Nossa Senhora.

Maria, a Virgem de Aparecida, rogue a seu Filho por todas as mulheres da terra.

Deo gratias!

I

As Mulheres na Bíblia

Desde o instante da criação, Deus olhou com amor para a mulher, por isso a criou com uma dignidade humana e divina. Homem e mulher foram feitos na mesma dignidade, e os dois são chamados a serem parceiros na História da Salvação. Não há superioridade entre eles, mas, sim, a mesma dignidade do amor divino. São diferentes no ser, na sexualidade, para que se complementem, sejam parceiros e, juntos, construam a vida. Esse é o desejo de Deus.

De maneira breve, eis algumas mulheres bíblicas, que tiveram uma presença e ação significativa na História da Salvação. Por meio da história delas, aprendemos a valorizar a mulher e a respeitar sua dignidade, pois foi assim que o próprio Deus quis e fez. Elas são imagem e semelhança de Deus e manifestam a ternura divina à humanidade.

1. Eva
Significado do nome: "a que tem vida ou mãe dos viventes". É o nome da primeira mulher, esposa de Adão, mãe de Caim, Abel e Set. Eva é a mãe dos viventes, conforme narrativa de Gn 3,20. Ela é a companheira de Adão, ou companheira do homem, formada a partir da "costela" dele (Gn 2,23). Eva, como mãe de todos os viventes, foi feita para ser um dom de Deus. Mas sua fragilidade a fez enganar-se pela serpente.

2. Sara (ou Sarai)
O nome significa "princesa". Chamada Sarai, em Gn 12–17, a esposa de Abraão (Gn 11,29-31) é depois chamada Sara. Ela é a mãe de Isaac (Gn 21,2-3). O autor da Epístola aos Hebreus vê no nascimento de Isaac uma recompensa da fé de Sara (Hb 11,11). Na Primeira Carta de Pedro, é a obediência a seu esposo que é engrandecida (1Pd 3,6).

3. Rebeca

Significado do nome: "amarrar firme". Segundo sua genealogia bíblica, é filha de Batuel, o arameu (Gn 22,23; 24,24), e irmã de Labão (Gn 24,29). É apresentada como uma mulher muito formosa. Casou-se com Isaac, o hebreu, e deu à luz os gêmeos Esaú e Jacó (Gn 25,21-24; Rm 9,10).

4. Lia

Significado do nome: "esposa fiel". Filha de Labão, primeira mulher de Jacó, mãe de Rúben, Simeão, Levi, Issacar, Zabulon e Dina (Gn 29,30). A Lia estão ligados os clãs primitivamente considerados como descendentes de Jacó.

5. Raquel

Significado do nome: "ovelha". Filha de Labão e esposa predileta de Jacó (Gn 29,6-30). É mãe de José e Benjamim. Morreu ao dar à luz Benjamim (Gn 30,22-24; 35,16-18). O profeta Jeremias anuncia Raquel chorando pelos homens de Efraim e Manassés, os dois filhos de José (Jr 31,15ss). Gênesis 35,19 identifica o túmulo de Raquel como sendo em Belém. Isso explica por que Mateus usa o texto de Jeremias para comentar a matança dos inocentes de Belém (Mt 2,18).

6. Débora

Significado do nome: "abelha" ou "enxame", ou ainda "dizer palavras bondosas". É profetisa e juíza, mulher de Lapidot (Jz 4,4), que, ao sul de Betel, costumava resolver os problemas dos israelitas. Ela era consultada e julgava as questões entre os israelitas. Por isso é classificada entre os Juízes de Israel, embora seu papel era bem diferente dos Juízes. Débora é considerada a "Mãe de Israel" (Jz 5,7). Ela liderou a revolta de Barac contra o rei cananeu Hasor e seu general Sísara e teve de acompanhar Barac no combate. Sísara foi derrotado na batalha de Tanac, bem junto às águas de Meguido por volta de 1130 a.C (Jz 5,19).

7. Miriam

Significado do nome: "amada". É irmã de Moisés e de Araão, filha de Amram e Jocabed (Nm 26,59; 1Cr 5,29). Lidera as mulheres de Israel na celebração da travessia do mar, cantando e dançando. Miriam canta a presença de Deus no nascimento deste povo novo (Êx 15,20-21). Foi atormentada com a lepra (por revoltar-se contra Moisés, juntamente com Aarão, seu irmão), mas, pela intervenção de Aarão junto a Moisés e graças à súplica deste último junto ao Senhor, ficou curada (Nm 12,4-15). Miriam morreu em Cades (Nm 20,1). Miqueias colocou-a entre os três líderes que dirigiram a saída do Egito (Mq 6,4).

8. Rute

O nome significa "a mulher amiga". Rute é a personagem principal da obra que tem seu nome, um livrinho de quatro capítulos. Foi colocado na Bíblia grega e em diversas traduções modernas, após o livro dos Juízes, porque o relato que contém se desenrola nessa época.

9. Ana

Significado do nome: "graça". Ela é a mãe de Samuel. Foi ultrajada porque era estéril. Tornou-se mãe e cantou um cântico de vitória, porque o considerou obra de Deus (1Sm 2,1ss). Samuel tornou-se importante profeta e juiz em Israel. Ana ofereceu Samuel a Deus, para que ele *o servisse durante toda a sua vida* (1Sm 1,28). Descobriu a presença de Deus no reverso da história: "o homem não triunfa pela sua própria força" (1Sm 2,1-10). Eis a beleza do cântico de Ana: a grandeza de uma mulher, que passou pela própria impotência. É o cântico de todas aquelas mulheres que experimentaram seus limites em uma cultura machista, descobrindo que, em meio ao sofrimento, a lógica de Deus trabalha na contramão da lógica da história do homem forte.

10. Judite

Significado do nome: "a judia". É uma mulher viúva, famosa por sua piedade e sua beleza. Ela, cheia de coragem, vai até o general inimigo e apresenta-se; o rei se encanta com sua beleza. É um povo em luta, e Judite – a Judia –, é o símbolo sugestivo. Em Jd 9,1-14, encontramos os traços fundamentais de uma mulher disposta a colaborar com a história da salvação. Mulher humilde, ela enfrenta os homens fortes, como Holofernes e Nabucodonosor, e faz cair o homem sábio e prepotente. Vence o diálogo entre a solidariedade popular e a ambição imperialista. Judite atribui a vitória ao Deus do Povo, que manifestou sua sabedoria em uma mulher saída do povo.

11. Ester

O significado do nome é desconhecido, mas a palavra "ester" se assemelha ao nome da deusa *Ishtar*! Ester é uma formosa e prudente jovem judia. Seu livro mostra como Deus, por meio desta mulher, livra os judeus do extermínio tramado pelo ministro Aman. Ester é a heroína. Os judeus oprimidos e condenados ao extermínio são acudidos e salvos graças à intervenção dela. Este livro retrata as angústias, as lutas, as certezas e esperanças dos judeus dispersos e perseguidos séculos afora. Mostra a luta de Israel para reatar a confiança em Deus, que sempre transforma as situações.

12. Isabel

Significado do nome: "Deus jura" ou "Deus é um voto". Foi esposa de Zacarias e mãe de João Batista, o precursor de Jesus. Isabel faz parte de uma linhagem santa, levítica. Era da família sacerdotal de Aarão. No sexto mês de sua gravidez, recebeu a visita de Maria, que estava grávida de Jesus, alegrou-se, intensa e imensamente, e bendisse à Mãe do Salvador (Lc 1,39-45). Esses fatos realizados em Maria e Isabel mostram a benignidade divina, que voltou seu olhar misericordioso para seu povo e, na plenitude dos tempos, enviou-nos seu Filho Jesus (Gl 4,4); e João Batista, nascido de Isabel, veio anunciar sua chegada.

13. Maria

Mãe de Jesus, filha predileta do Pai, cumpridora da vontade divina. Na casa de Isabel, cantou o belo cântico do Magnificat (Lc 1,46-56). A misericórdia de Deus, que vem desde Abraão, realiza-se perfeitamente agora em Maria, como Mãe de Jesus. Maria será a Mãe do Salvador do povo. A Bíblia nos apresenta cinco cânticos de vitória, que estão na boca de cinco mulheres, a saber: Miriam, Débora, Ana, Judite e Maria (mãe de Jesus). São cânticos não simplesmente de combate, mas expressão de luta por uma convivência em solidariedade e na justiça.

A Carta de São Paulo aos Gálatas nos mostra que Maria está no centro da história da salvação: "Deus enviou seu Filho, nascido de uma mulher..." (Gl 4,4). O evangelista Lucas nos capítulos 1 e 2 nos mostra sua aparição pública desde a anunciação e ela acompanha Jesus em todos os passos de sua infância. Deus quis assim intervir na história por meio de Maria, que, humildemente, se fez serva dele.

O plano de Deus se realiza pela ação de sua graça, não pela vontade humana simplesmente. Na história das mulheres que fazem parte da história da salvação, a maior parte é de mulheres estéreis e que concebem porque Deus quis agir nelas. Vemos Sara, mulher de Abraão, que concebe na velhice; e ainda tantas outras como Rebeca esposa de Isaac; Ana, que é mãe de Samuel; Raquel, esposa de Jacó; e no Novo Testamento vemos Isabel, mãe de João Batista, aquele que foi à frente anunciando a chegada de Jesus. Em Maria, Mãe de Jesus, está o ápice da vontade divina e a realização de todas as promessas divinas.

14. As Mulheres que fazem história hoje

É quase que inumerável as mulheres que dão continuidade à História da Salvação. Lembremos estas: Madalena, Marta, Anastácia, Águeda, Catarina de Sena, Clara de Assis, Joana D'Arc, Teresa D'Ávila, Rosa de Lima, Luísa de

Marillac, Teresinha de Lisieux, Faustina, Bakita, Edith Stein, Madre Paulina, Madre Teresa de Calcutá, Margarida Maria, Joana Beretta, Maria Conceição Barreto, Irmã Doroth, Nhá Chica, Zilda Arns...

Atentos à História da Salvação, que continua nas pessoas em favor do Reino e da vida, descobriremos nosso próprio lugar em favor desse mesmo Reino. A Palavra nos conduz para dentro do projeto de Deus e nos afasta de nossos projetos pessoais! Bendita seja a Palavra e sejam benditos os que a vivem com amor!

II

A Oração do Terço: comunhão e partilha

A Oração do Terço – que significa uma parte ou um 1/3 do Rosário – é uma oração cristológica e mariana, por excelência.

Ao meditarmos os mistérios centrais de nossa redenção – a salvação que nos foi oferecida por Cristo –, descobrimos o imenso, o infinito amor de Deus por nós, manifestado em Jesus, seu Filho. A oração feita com fervor, sinceridade e humildade alcança o coração de Deus, santifica-nos e nos dá a força necessária para o empenho nesta vida terrena.

A oração verdadeira, autêntica, leva-nos para o compromisso da justiça, da comunhão, da solidariedade, da fraternidade e da vida de Comunidade. Por isso, devido ao sentido profundo da fé, devemos permitir sempre a participação de todos, e ninguém pode ou deve sentir-se dono ou dona da Comunidade, do Grupo de Oração ou de algo semelhante. A oração verdadeira leva à partilha, à comunhão, ao respeito pelo dom do outro.

Nesse sentido evangélico, seguem algumas orientações que devem ser colocadas em prática na *Oração do Terço das Mulheres*.

1. O significado da Oração do Terço

A oração do Terço nos conduz para dentro do coração de Cristo, para o mistério da redenção. O Pai nos enviou Jesus, cumprindo todas as promessas por Ele feitas e para nos salvar. Nele meditamos os mistérios principais da salvação de Cristo, sua vida, sua paixão, morte e ressurreição. São João Paulo II, ao instituir os Mistérios Luminosos, tornou a Oração do Terço também uma maneira de conhecermos e compreendermos os ensinamentos de Jesus e os principais momentos de sua vida pública.

Maria, a Virgem de Nazaré é, como Mãe, quem nos conduz para o mistério de Cristo. Como toda boa Mãe, ela só quer nosso bem e salvação. Quando rezamos as Ave-Marias, lembramos a maternidade divina de Maria e o quanto ela cumpriu, em sua vida, a vontade de Deus. Ela nos trouxe e continua a nos oferecer o Salvador. Na primeira parte da Ave-Maria, lembramos a anunciação do Anjo a Maria e sua visita a Isabel, conforme o Evangelho de Lucas. Na segunda parte, feita pela Igreja, pedimos sua presença junto de nós, enquanto peregrinos, e na hora decisiva de nossa vida, aquela do encontro definitivo com o Pai.

Assim, o Terço é uma bela oração se o entendemos bem, sem rezá-lo por rezar ou até por uma rotina, pois nos faz mergulhar na mais bela poesia em nossa terra, poesia cantada na eternidade: nossa salvação. Portanto, o Terço deve ser rezado com intensidade. Esqueçamos a quantidade e a rotina, e rezemos com intensidade.

Dessa maneira, quando as Mulheres rezarem o Terço em Comunidade, devem lembrar-se de viver esse grande mistério de amor redentor, que é Jesus, e de Maria, Virgem predileta do Pai.

A oração, os cânticos e a meditação fazem crescer em nós o amor de Deus e nos projetam bem no coração divino, fazendo-nos entrar na intimidade divina.

2. Acolhida

O Ministério da Acolhida é muito importante dentro da comunidade. O mesmo vale para as mulheres que se reúnem para seu momento oracional. O acolhimento não poderá faltar, que vai desde uma saudação, um abraço, um gesto verdadeiro pelas coisas da vida da pessoa... É desejo de fraternidade. Portanto, haja acolhida no momento do encontro oracional.

3. Cuidar do ambiente

Quem é que não gosta de estar com a casa limpa, com as coisas arrumadas ou em seu devido lugar? Assim tudo favorece para que as pessoas se sintam bem ali. Se a Oração do Terço não for feita em uma capela ou igreja, onde tudo já está mais em ordem, então é preciso colocar as coisas em seu devido lugar: cadeiras ou bancos para as pessoas se sentarem, flores, pequena mesa com velas acesas, um quadro ou imagem de Nossa Senhora e também uma cruz, se possível. Pela cruz, o Senhor redimiu o mundo! Outras coisas necessárias, o lugar e o momento certo dirão o que deve ser feito.

4. Piedade

Tudo deve ser feito com muita confiança em nosso Senhor. Piedade e confiança são a mesma verdade de fé e não podem faltar jamais. Quem se põe em oração sincera manifesta sua confiança em nosso Senhor. É a sintonia da fé que torna bela a oração que fazemos em Comunidade. O coração unido entoa louvores, súplicas e agradecimentos ao Pai, que não se cansa de nos amar em seu Filho, Jesus Cristo. Nesse momento orante, o Senhor fala ao coração, aos que estão reunidos ou reunidas e, ao mesmo tempo, a cada pessoa em particular, por causa de seu amor de predileção.

5. Coordenação

A organização não pode faltar em qualquer grupo humano reunido. Somente assim um encontro e/ou momento orante podem ser bem aproveitados por todos. Imagine se você vai para uma festa e encontra tudo desorganizado: certamente voltará pouco contente! O mesmo vale para nossos encontros de fé.

Coordenar não significa ser o "mandão", a "mandona", como se diz popularmente. Coordenar é coordenar, ou seja, fazer com que todas as partes ou incumbências se entrelacem e funcionem. A função do(a) coordenador(a) é distribuir os serviços, as incumbências, os encargos. Quem coordena bem nunca aparece, nem faz alguma coisa explícita; apenas faz com que tudo funcione devidamente.

Quem coordena não deve permanecer por muito tempo nesse cargo. Deve-se ter um limite de tempo, um tempo suficiente para não cansar, nem impedir a participação de outras pessoas. Às vezes, ouvimos dizer: "Estou ali, porque não há mais quem assuma!" Será? É mais provável que estou gostando de permanecer nesse cargo e evito encontrar alguém que possa ocupar meu lugar! Isso não pode acontecer dentro da Comunidade, pois é contrário ao Reino e, aí, não há *atitude de serviço*, mas de dominação ou algo semelhante.

Em se tratando de um grupo, é bom que se tenha um *Vice-Coordenador(a)*, um *Secretário(a)* e até um *Tesoureiro(a)* para administrar alguma economia possível. A realidade de cada grupo é que apontará a necessidade ou não.

Por fim, lembramos que é bom haver umas duas pessoas na coordenação para facilitar o bom e real funcionamento do grupo. Não deixe jamais faltar o espírito de solidariedade e de comunhão na coordenação e no grupo que se reúne para rezar.

6. Organizar

A boa organização facilita o espírito de oração. Quando cada participante sabe o que deve fazer é gerado um bom ambiente oracional. Por isso, deve-se prestar atenção em alguns pontos essenciais:

a) Tempo: o tempo máximo para a oração do Terço deve ser previsto. Não deve ultrapassar uma hora. Lembrar-se de que em nossos dias a sociedade é programada, por isso, as coisas precisam ser bem calculadas e motivadas. Não é preciso fazer tudo apressadamente, mas também não se deve ultrapassar o limite. Em tudo deve permanecer o bom senso.

b) Distribuir as Funções: "Quem tudo faz nada faz" deve ser a máxima dentro de uma Comunidade. Distribuir as funções é dar às pessoas o lugar que lhes é próprio por causa do batismo recebido. Todos devem participar ministerialmente na Comunidade, assumindo serviços e responsabilidades. Dentro do momento orante é preciso distribuir os encargos: quem irá conduzir os cânticos, recitar os mistérios, rezar as Ave-Marias e outros serviços possíveis e necessários. Há encargos que não devem ser mudados sempre, mas há os que podem ser passados para pessoas diferentes em cada momento. O senso e o consenso apontam o que é realmente necessário fazer. Os cânticos devem ser escolhidos de tal modo que todos possam participar, ou seja, que os participantes conheçam os cânticos que serão cantados na Oração do Terço. Assim não façamos da celebração um "palco de nossos desejos pessoais", mas um momento sublime de partilha, de comunhão e de alegria na fé, por meio da Oração do Terço. Tudo o que fazemos com amor e em comunhão é do agrado de Deus.

III

O que é e como rezar o Terço?

1. O que é o Terço?

É uma bela oração, simples, popular e profunda. É uma oração cristológica, mariana, piedosa, eclesial e comunitária. O Rosário – que significa *coroa de flores* – contém os mistérios da Alegria, da Dor e da Glória. O Terço é uma parte ou um terço, das três partes do Rosário. Em nossos dias, há também os *Mistérios Luminosos ou da Luz*, instituídos por São João Paulo II, na Carta Apostólica *Rosarium Virginis Maria*, de 16 de outubro de 2002. A autêntica Oração do Terço, portanto, é a oração que contempla esses quatro mistérios. Hoje, parece-me que está se costumando chamar de *terço* outras orações, como o "Terço da Misericórdia", oração bonita e válida, marcada pela jaculatória da misericórdia divina. Todavia, precisamos cuidar para não esvaziar o sentido exato da Oração do Terço como legitimamente o é. O Terço é a oração que contém a contemplação dos mistérios correspondentes, as dez Ave-Marias, o Glória e o Pai-Nosso, depois da contemplação do mistério. Preservemos a riqueza da fé que nos chega desde há muitos séculos.

2. Como rezar o Terço

Grande parte do povo cristão católico, senão a maioria, provavelmente sabe rezar o Terço. Sua estrutura oracional consiste no seguinte roteiro:

a) Faz-se o Sinal da cruz †.
b) Reza-se a Oração inicial ou a Intenção.
c) Reza-se o Credo.
d) Contempla-se cada Mistério (da Alegria, da Dor, da Glória ou da Luz).
e) Rezam-se o Pai-Nosso e as dez Ave-Marias seguidas.
f) Reza-se o Glória.
g) Terminados os Mistérios, rezam-se a Salve-Rainha e a Ladainha (se desejar).
h) Reza-se a Oração final – Persigna-se (faz-se o sinal da cruz).

3. A oração leva à ação

As mulheres unidas na prece e na comunidade têm uma força transformadora invencível. Mas é preciso a união e o objetivo comum para a ação ser eficaz. Por isso é bom e conveniente que, além da Oração do Terço, possam trabalhar em favor do bem, da caridade, dos serviços dentro da Comunidade. Sabemos que *sobram serviços e faltam trabalhadores*. Sugerimos, portanto, que haja iniciativas em favor das necessidades da Comunidade.

O trabalho a favor da vida é o mais fundamental. Defender, trabalhar, promover e valorizar a vida em nossos dias é atitude profunda de fé, pois há muitas ameaças, até veladas, à vida.

Não se trata de apontar aqui o que deve ser feito, pois, olhando com um pouco mais de profundidade a realidade local da Comunidade, iremos nos despertar para o *que* e o *como* realizar esta ou aquela ação. Tomemos, pois, iniciativas que estejam de acordo com as necessidades da Comunidade e a favor da vida. Porém, tudo deve ser realizado na unidade com seu pároco, com as pessoas que se dispõem a trabalhar. Onde há comunhão, há vida, e os frutos do Reino aparecerão.

A oração deve nos levar para a atitude profunda de amor e de misericórdia. E isso é do agrado do Senhor e de Nossa Senhora.

IV

Orações para antes e depois do Terço

1. Oração para o início do Terço
(Escolhe-se uma das Orações)

Oração inicial – 1 (Tradicional)
Divino Jesus, nós vos oferecemos este Terço que vamos rezar, meditando nos mistérios da Vossa Redenção. Concedei-nos, por intercessão da Virgem Maria, Mãe de Deus e nossa Mãe, as virtudes que nos são necessárias para bem rezá-lo e a graça de ganharmos as indulgências desta santa devoção.

Oração inicial – 2

– Em nome do Pai † e do Filho e do Espírito Santo! Amém!

Ó Pai, dirijo-me a vós neste momento com toda a minha fé. Quero que o meu coração esteja aberto à vossa presença amorosa. Disponho-me a rezar este Terço, meditando os mistérios principais de minha redenção e da redenção da humanidade, trazida a nós por meio de vosso Filho, Jesus Cristo. Quero assim mergulhar no vosso infinito amor, tão presente no meio de nós. Vosso Filho Jesus é o vosso amor entrando na minha vida e existência. Quero também que o vosso Espírito Santo me conduza e me inspire. Maria Santíssima, Senhora da Conceição Aparecida, ajudai-me a obter as graças necessárias para a minha salvação! Amém!

Oração inicial – 3

– Em nome do Pai † e do Filho e do Espírito Santo! Amém!

Senhor nosso Deus, quero vossa paz, porque a paz dos homens é muito frágil e dura pouco! Quero a paz que provoca minha ação e meu desejo de vos servir com alegria e com intensidade. Não quero a paz fingida dos falsos, nem a paz alienante dos egoístas. Não quero a paz ilusória como a do lodo dos pântanos nem a paz sem esforço. Quero a firmeza da rocha e a força da raiz, que, silenciosa, sustenta a vida dos galhos e dos frutos.

Em nosso mundo dilacerado por tantas discórdias, egoísmos e divisões, coloco em vós, Senhor, minha esperança de vida e de paz. Em vós encontro o alento e a força de que preciso. Venha sobre vosso povo, Senhor, vossa paz e que seja duradoura, e que eu faça minha parte para que ela aconteça de verdade. Amém!

Oração inicial – 4

– Em nome do Pai † e do Filho e do Espírito Santo! Rezemos com o Salmo 62.

– Senhor, vós sois nosso Deus, e vos procuramos com grande ansiedade. Como a terra seca do sertão espera a chuva, nosso ser anseia por vós. Ah! Se nós pudéssemos contemplar-vos e experimentar vosso poder e vossa glória...

– Senhor, vós sois nosso Deus. Vós estais conosco!

– Vós encheis nosso ser até transbordar, fazendo sair de nossos lábios cantos de festa. Até mesmo durante a noite, vossa lembrança está viva em nós. Ficamos a noite toda pensando em vós:

– Senhor, vós sois nosso Deus. Sois luz, que ilumina nosso caminho!

– Senhor, vós sois um apoio para nós. Quando experimentamos vossa proteção, sentimos uma vontade enorme de cantar de alegria. Senhor, nas dificuldades, vós nos segurais com vossas mãos!

– **Senhor, cremos em vós. Mas aumentai nossa fé!**
– Muitos atentam contra a vida do pobre, contra a nossa vida. Serão eles que vão acabar na morte. Serão todos mortos; nem sepultura terão. Porém, nós nos alegraremos sempre no Senhor. Todos os que se comprometerem com ele poderão falar. Mas aqueles que lhe forem infiéis não terão direito à vida.
– Senhor, tende piedade de nós.
– **Senhor, tende piedade de nós!**
– Cristo, tende piedade de nós.
– **Cristo, tende piedade de nós!**
– Senhor, tende piedade de nós.
– **Senhor, tende piedade de nós!**

(Em seguida, reza-se o Credo e inicia-se a contemplação dos mistérios e a recitação das Ave-Marias. Pode-se usar, em cada momento propício, algum refrão ou mesmo algum cântico.)

Profissão de fé

Creio em Deus Pai todo-poderoso, criador do céu e da terra./ **E em Jesus Cristo, seu único Filho, nosso Senhor,/** que foi concebido pelo poder do Espírito Santo; nasceu da Virgem Maria;/ **padeceu sob Pôncio Pilatos; foi crucificado, morto e sepultado,/** Desceu à mansão dos mortos; ressuscitou ao terceiro dia;/ **subiu aos céus; está sentado à direi-**

ta de Deus Pai todo-poderoso,/ donde há de vir a julgar os vivos e os mortos./ **Creio no Espírito Santo;/** na Santa Igreja Católica; na comunhão dos santos;/ **na remissão dos pecados;/** na ressurreição da carne;/ **na vida eterna. Amém.**

2. Oração final
(Escolhe-se uma oração final, antes de rezar a Salve-Rainha)

Oração final – 1 (Tradicional)
Infinitas graças vos damos, Soberana Rainha, pelos benefícios que todos os dias recebemos de vossas mãos liberais. Dignai-vos, agora e para sempre, tomar-nos debaixo de vosso poderoso amparo e para mais vos agradecer vos saudamos com uma Salve, Rainha...

Oração final – 2
Pai, fiquei muito feliz em poder falar convosco, meditando os mistérios da nossa redenção. Agradeço-vos todos os bens que de vós recebi. São muitos. Vossa bondade é infinita. Vosso amor me toma e me envolve, sem mesmo que eu perceba. É como o raio de sol: aquece-nos sem nada esperar em troca. Obrigado também por terdes escolhido Maria, filha predileta do vosso plano de amor. Abençoai a mim e à minha família e guardai-nos todos no vosso amor! Amém!

Oração final – 3

Santa Maria, Mãe de Deus, vós destes ao mundo a luz verdadeira, Jesus, vosso Filho e Filho de Deus. Entregastes-vos completamente ao chamamento de Deus e assim vos tornastes fonte da bondade que brota dele. Mostrai-nos Jesus. Guiai-nos para Ele. Ensinai-nos a conhecê-lo e a amá-lo, para podermos também nos tornar capazes de verdadeiro amor e de ser fontes de água viva no meio de um mundo sequioso. Amém!
(Papa Bento XVI)

Oração final – 4

– Façamos, agora, nossa oração de agradecimento a Deus por este encontro. Como é bom vivermos unidos! Como é bom saber que Deus continua falando de vários modos, para nós hoje. Rezemos com um coração agradecido.

– Por este encontro que tivemos.
– **Obrigado, Senhor!**
– Pelo dia de trabalho.
– **Obrigado, Senhor!**
– Pela vida, que não nos faltou.
– **Obrigado, Senhor!**
– Pela alegria de estarmos firmes na mesma fé.
– **Obrigado, Senhor!**
– Por aqueles que lutam em defesa da vida com a força do Evangelho.
– **Dai-lhes força, Senhor!**

– Pelo povo que não desanima na caminhada de Igreja e de Comunidade.
– **Glória a vós, Senhor!**
– Glória ao Pai, que anima e não esquece seu povo.
– **Glória a vós, Senhor!**
– Glória a vós, Senhor, pelas pessoas que trabalham pela nossa libertação.
– **Glória a vós, Senhor!**
– Obrigado, Senhor, por todos aqueles que trabalham em favor de vosso Reino.
– **Obrigado, Senhor, e abençoai-nos! Em nome do Pai † e do Filho e do Espírito Santo. Amém!**

Salve-Rainha
Salve, Rainha, Mãe de misericórdia, vida, doçura e esperança nossa, salve! A vós bradamos, os degredados filhos de Eva; a vós suspiramos, gemendo e chorando neste vale de lágrimas. Eia, pois, Advogada nossa, esses vossos olhos misericordiosos a nós volvei e, depois deste desterro, mostrai-nos Jesus, bendito fruto do vosso ventre; ó clemente, ó piedosa, ó doce Virgem Maria! Rogai por nós, Santa Mãe de Deus, para que sejamos dignos das promessas de Cristo. Amém.

V

Contemplando os Mistérios do Terço

MISTÉRIOS DA ALEGRIA
O Verbo eterno do Pai veio para o meio de nós.
(Rezam-se às segundas-feiras e aos sábados)

Celebremos os mistérios da encarnação do Filho de Deus, Jesus Cristo, que veio entre nós e em nosso meio armou sua tenda. Ele é o Senhor da Vida, o Senhor de nossa salvação. Felizes os que nele esperam e confiam. Como Maria, respondamos sim ao chamado do Senhor para vivermos na união e na fraternidade. Deixemos que o Senhor faça sua morada em nossa vida.

1º Mistério: o Anjo Gabriel anuncia a Maria que ela é a escolhida para ser a Mãe de Jesus! *(Lc 1,26-28).* Jesus é o cumprimento de todas as promessas do Pai feitas no Antigo Testamento. Ele estabeleceu conosco a eterna Aliança por meio de seu Filho Jesus Cristo. Tudo se realizou silenciosamente no coração de Deus e no coração de Maria, a Mulher escolhida para nos trazer o redentor. Contemplemos o mistério redentor da encarnação de Jesus no seio de Maria.

(Rezam-se o Pai-Nosso, *as dez* Ave-Marias, *o* Glória *e as invocações que se seguem.)*

– Virgem Mãe de Deus – Rogai por nós!
– Virgem Mãe de Jesus – Rogai por nós!
– Virgem do Povo de Deus – Rogai por nós!
– Virgem de misericórdia – Rogai por nós!
– Virgem dos pecadores – Rogai por nós!
– Virgem de todas as mães – Rogai por nós!

Consolai-nos, ó Mãe querida, com vossa ternura e vossa bondade. Vós, que vivestes a experiência viva do amor do Pai, que é Jesus, ajudai-nos também a viver nessa mesma alegria, nesse mesmo amor. Fazei-nos fortes na ternura e na bondade! Amém!

2º Mistério: Maria visita sua prima Isabel. Ela está grávida de João Batista, o precursor de Jesus! *(Lc 1,39-45).* Depois que recebeu, com humildade, a nobre notícia de que era a escolhida para ser a Mãe do Salvador, Maria não ficou acomodada em sua casa. Saiu apressadamente e foi para a casa de Isabel, para servi-la em suas necessidades. Isabel encheu-se de alegria ao ver a Mãe do seu Senhor. Alegria dos pobres, que só tem Deus por conta. Os que esperam no Senhor alcançam sua misericórdia.

(Rezam-se o Pai-Nosso, *as dez* Ave-Marias, *o* Glória *e as invocações que se seguem.)*

– Mãe do Redentor – Rogai por nós!
– Mãe do divino Amor – Rogai por nós!
– Mãe do mais Belo Amor – Rogai por nós!
– Mãe dos peregrinos – Rogai por nós!
– Mãe cheia de ternura – Rogai por nós!
– Mãe da esperança e da paz – Rogai por nós!

Confortai os que vos buscam, confortai as mulheres que estão sofrendo por causa da dominação ou são escravas e feridas em sua dignidade. Ó Mãe bendita do Salvador, ajudai-nos todas a encontrar em vós o apoio de que precisamos e a força de que necessitamos! Amém!

3º Mistério: Jesus, o Filho de Deus, nasce de Maria, em Belém! *(Lc 2,1-7).* Jesus nasceu no anonimato, no silêncio da periferia de Belém. Ele, o Senhor do mundo e da história, o Redentor da humanidade, não teve nem mesmo um lugar digno para nascer. Enquanto há os que buscam distinção, palcos e holofotes, o Senhor nasce em uma manjedoura pobre e improvisada. Ele quer, porém, nascer e renascer em cada coração humano.

(Rezam-se o Pai-Nosso, *as dez* Ave-Marias, *o* Glória *e as invocações que se seguem.)*
– Senhora do céu e da terra – Rogai por nós!
– Senhora de todos os povos – Rogai por nós!
– Senhora da Igreja – Rogai por nós!
– Senhora das Comunidades – Rogai por nós!
– Senhora dos Religiosos – Rogai por nós!
– Senhora dos Sacerdotes – Rogai por nós!

Guardai-nos, ó Senhora da humanidade, sob vossa proteção e dai-nos o alento de que tanto precisamos nesta vida, principalmente nas horas mais exigentes de nossa vida de mulher, de mãe e de esposa! Amém!

4º Mistério: Jesus é apresentado no Templo, por Maria e José, e Maria escuta a dura profecia de Simeão! *(Lc 2,34-35).* Era lei obrigatória para os judeus apresentar o primeiro filho no Templo, oferecendo-o a Deus. Maria e José assumem isso, mostrando-nos que Jesus veio assumir por inteiro nossa humanidade. Não podemos também fugir de nossa história, pois é nela que fazemos a experiência de amor. Apresentar-se a Deus com humildade e sinceridade é o que devemos fazer sempre.

(Rezam-se o Pai-Nosso, *as dez* Ave-Marias, *o* Glória *e as invocações que se seguem.)*
 – Maria, Senhora nossa – Rogai por nós!
 – Maria, Senhora dos evangelizadores – Rogai por nós!
 – Maria, Senhora dos Ministros da Igreja – Rogai por nós!
 – Maria, Senhora das Crianças – Rogai por nós!
 – Maria, Senhora dos Jovens – Rogai por nós!
 Ó Senhora Santa e amável, pousai sobre nós vossas mãos benditas, santas e imaculadas, e fazei-nos todas fiéis a Jesus, vosso Filho e Redentor nosso! Amém!

5º Mistério: Jesus ficou no Templo, discutindo com os doutores da Lei, e Maria e José só o encontraram três dias depois! *(Lc 2,43-46).* O Evangelho quer nos ensinar que Jesus é a nova Lei, o novo Templo, o Senhor dos senhores. Por isso Jesus está ali, entre os sábios e entendidos da Lei. Os três dias em que Jesus ficou sozinho, "perdido", têm grande sentido simbólico: São os três dias de sua morte, antes de sua ressurreição. O terceiro dia é o da plenitude da vida. Andemos, pois, no caminho de Jesus, e isso nos bastará.

(Rezam-se o Pai-Nosso, *as dez* Ave-Marias, *o* Glória, *e as invocações que se seguem.)*
 – Virgem fiel, Mãe de Deus – Rogai por nós!
 – Virgem fiel, Mãe das Famílias – Rogai por nós!

– Virgem fiel, Mãe dos Idosos – Rogai por nós!
– Virgem fiel, Mãe dos pecadores – Rogai por nós!
– Virgem fiel, Mãe da vida – Rogai por nós!
– Virgem fiel, Mãe amável – Rogai por nós!
Invocamos, ó Mãe e Senhora nossa, vosso amor maternal, pois sois o amparo de que precisamos e a força do céu com que contamos, hoje, aqui e agora! Amém!

MISTÉRIOS DA LUZ
A luz da eternidade, que é Jesus, penetrou nossa existência.
(Rezam-se às quintas-feiras)

Os mistérios da Luz, instituídos por São João Paulo II, lembram-nos da vida pública de Jesus. Ele é a Luz verdadeira da eternidade, que brilhou no mundo. Suas palavras, seus gestos, seu ensinamento, os sinais que realizou são luzes em nossa vida, pois nos indicam o caminho que nos leva até Ele. E junto dele temos a vida em plenitude, a salvação. É na Palavra de Jesus, o Evangelho, que nossa fé se enraíza profundamente. Deixemo-nos transformar por sua graça salvadora.

1º Mistério: Jesus foi batizado por João, nas águas do rio Jordão! *(Mt 3,13.17)*. Humildemente, Jesus se aproxima de João e se faz batizar por ele. O batismo de João era de conversão e de penitência. Em Cristo, realiza-se a justiça divina, sua misericórdia. Assim como abraçou com humildade a cruz, também fez o mesmo no seu batismo: em seu coração estavam presentes os pobres e os mais abandonados. Por isso nos diz o Pai: "Este é o meu Filho amado, escutai o que Ele diz". Escutemos, em nossa vida, o Senhor.

(Rezam-se o Pai-Nosso, *as dez* Ave-Marias, *o* Glória *e as invocações que se seguem.)*

– Mãe dos que trabalham no campo – Rogai por nós!

– Mãe dos que trabalham na cidade – Rogai por nós!

– Mãe dos que trabalham nas estradas – Rogai por nós!

– Mãe dos que trabalham longe de suas famílias – Rogai por nós!

– Mãe dos que trabalham e são injustiçados – Rogai por nós!

– Mãe dos que trabalham em defesa do bem comum – Rogai por nós!

Ó Mãe dos pobres, que visitais silenciosamente as favelas, barracos e casebres, vós assentais à mesa com eles e repartis vosso meigo e suave amor, protegei-nos! Amém!

2º Mistério: Primeiro sinal de Jesus realizado em Caná da Galileia: a transformação da água em vinho! *(Jo 2,3-5)*. Jesus, o vinho novo, o Sangue da nova e eterna Aliança de Deus com seu povo. A união de Cristo com seu povo é verdadeiro matrimônio, pois o próprio Cristo chama a Igreja de Esposa. A água transformada em vinho é sinal da abundância da vida e da salvação, que Ele nos trouxe. Só não participa dessa vida e dessa festa quem não quer seu projeto, o do Reino. É Maria quem nos diz para "fazer tudo o que Ele nos pedir".

(Rezam-se o Pai-Nosso, *as dez* Ave-Marias, *o* Glória *e as invocações que se seguem.)*

– Virgem Santa e bendita – Rogai por nós!
– Virgem fiel e servidora – Rogai por nós!
– Virgem consoladora dos aflitos – Rogai por nós!
– Virgem amada e fiel – Rogai por nós!
– Virgem do povo de Israel – Rogai por nós!
– Virgem do céu e da terra – Rogai por nós!

Ó Maria, arrancai do nosso coração todo desejo que não combina com a vontade de Deus, despertai, no coração de todas as mulheres, a ternura, que muda o mundo, e fazei-nos progredir no amor de Jesus! Amém!

3º Mistério: Jesus proclama o Reino do Pai e convida à conversão! *(Mc 1,14-15)*. O Evangelho é o convite constante de Jesus para nos voltarmos à verdade do Reino. A conversão é um processo contínuo de busca das coisas do alto, de transformação de nosso ser, até alcançarmos a vida plena em Deus. Converter-se é graça divina, mas ela não dispensa nosso esforço humano de nos tornarmos adultos e maduros na fé.

(Rezam-se o Pai-Nosso, *as dez* Ave-Marias, *o* Glória *e as invocações que se seguem.)*

– Senhora do céu, da terra e da humanidade – Rogai por nós!

– Senhora e discípula do Evangelho – Rogai por nós!

– Senhora do silêncio transformador – Rogai por nós!

– Senhora dos que evangelizam – Rogai por nós!

– Senhora dos missionários do Reino – Rogai por nós!

– Senhora das crianças, dos jovens e das famílias – Rogai por nós!

Ó Maria, arrancai de dentro de nosso peito o orgulho que não nos deixa amar e que, às vezes, quer ocupar o primeiro lugar. Dai-nos um coração humilde e servidor, como o vosso Coração de Mãe! Amém!

4º Mistério: Transfiguração de Jesus diante dos discípulos, no monte Tabor! *(Mt 17,2).* Os discípulos Pedro, Tiago e João experimentaram a alegria da eternidade no monte Tabor. O Pai manifestou sua plena confiança no Filho, dizendo: "Este é meu Filho amado, no qual ponho minha afeição; escutai-o". O esplendor da luz divina toca nossa existência todos os dias. Porém, é preciso que o coração esteja atento e aberto para perceber e acolher a presença amorosa do Senhor em nossa vida, mesmo em meio às lutas necessárias e legítimas da vida.

(Rezam-se o Pai-Nosso, as dez Ave-Marias, o Glória e as invocações que se seguem.)

– Santa Maria, Mãe da humanidade – Rogai por nós!

– Santa Maria, Mãe dos que buscam a paz – Rogai por nós!

– Santa Maria, Mãe dos que são solidários – Rogai por nós!

– Santa Maria, Mãe dos peregrinos – Rogai por nós!

– Santa Maria, Mãe dos Apóstolos – Rogai por nós!

– Santa Maria, Mãe de nossas Comunidades – Rogai por nós!

Ó Mãe de Jesus e Senhora nossa, ajudai-nos a tomar a firme decisão de servir a Deus em primeiro lugar e que estejamos sempre prontas a estender as mãos a quem precisar, em nossa casa, em nossa família, na Comunidade. Amém!

5º Mistério: Jesus instituiu a Sagrada Eucaristia para permanecer entre nós e em nós! *(Mc 14,22-23)*. Como se não bastasse tudo o que Jesus já havia feito para nossa redenção, quis ainda instituir o sacramento da Eucaristia para ficar entre nós e se dar em comunhão. A Eucaristia é fonte de vida e de salvação, pois nela tornamos vivo e presente, aqui e agora, o sacrifício redentor de Cristo: sua dor, sua morte e ressurreição. Feliz quem compreende tão grande mistério e o vive com amor.

(Rezam-se o Pai-Nosso, *as dez* Ave-Marias, *o* Glória *e as invocações que se seguem.)*

– Senhora de todos os cristãos – Rogai por nós!
– Senhora dos batizados – Rogai por nós!
– Senhora de nossas Comunidades – Rogai por nós!
– Senhora da Igreja de Cristo – Rogai por nós!
– Senhora de nossas Famílias – Rogai por nós!
– Virgem dos Necessitados – Rogai por nós!
– Virgem do Perpétuo Socorro – Rogai por nós!

Ó Senhora, Virgem e Mãe, fazei com que nosso coração seja do tamanho do universo, capaz de amar sem esperar nada em troca. Dai-nos um coração brando, simples, humilde e carregado de ternura e cheio de amor a Jesus e ao seu Evangelho! Amém!

MISTÉRIOS DOR
O Cristo Senhor, fiel ao Pai, não hesitou em entregar sua própria vida para nossa salvação.
(Rezam-se às terças-feiras e sextas-feiras)

O amor verdadeiro não pensa senão em amar até o fim. Convida-nos a fazer o êxodo necessário para embebermos de sua plenitude. Os mistérios dolorosos, assumidos por Cristo, mostram-nos seu amor sem-fim, que não olha para a dor, mas para nossa salvação e nosso bem. Ele pode nos ensinar: "Quem procura salvar sua vida vai perdê-la, e quem a perder vai ganhá-la" (Mt 16,25). Seja também nossa vida uma oferta de amor no amor.

1º Mistério: No Jardim das Oliveiras, Jesus tem sua agonia! *(Mt 26,36-37)*. O ser humano tem momentos decisivos em sua vida. A vida no mundo é muito bela, mas tem seus momentos exigentes. Eles fazem parte de nossa história. Assim foi com Jesus, que, na hora difícil, recomendou-se inteiramente ao Pai, e com inteira fidelidade. Se quisermos fazer nesses momentos nossa vontade, teremos dificuldades para sermos fiéis a Deus e a nós mesmos.

(Rezam-se o Pai-Nosso, *as dez* Ave-Marias, *o* Glória *e as invocações que se seguem.)*

– Senhora nossa e Mãe de Deus – Rogai por nós!

– Senhora nossa e Mãe dos aflitos – Rogai por nós!

– Senhora nossa e Mãe dos Moradores de Rua – Rogai por nós!

– Senhora nossa e Mãe dos que defendem a vida – Rogai por nós!

– Senhora nossa e Mãe dos que servem com alegria – Rogai por nós!

– Senhora nossa e Mãe das mães sofredoras – Rogai por nós!

Fortalecei nossa vida, ó querida Mãe, pois é certa vossa presença junto de nós e com vosso amparo podemos sempre contar. Confiamos, ó Mãe, em vossa presença materna junto de nós! Amém!

2º Mistério: Jesus foi preso e flagelado, e muito zombaram dele! *(Mt 27,26)*. Cristo assumiu todas as dores do mundo. Ele cumpriu sua missão e espera que cumpramos a nossa. Jesus foi humilhado e flagelado, depois de todo o bem que fez e ensinou a fazer. Coração humano, ingrato, que despreza o bem e aprova o mal. Triste realidade de nossa humanidade. Procuremos ser solidários com os sofredores de nosso tempo de agora.

(Rezam-se o Pai-Nosso, *as dez* Ave-Marias, *o* Glória *e as invocações que se seguem.)*

– Mãe bendita do Salvador – Rogai por nós!

– Mãe do Homem do campo – Rogai por nós!

– Mãe das Mães de família – Rogai por nós!

– Mãe dos servidores dos pobres – Rogai por nós!
– Mãe incomparável – Rogai por nós!
– Mãe cheia de amor – Rogai por nós!

Ó Senhora nossa e Mãe do Redentor, guiai nossa vida, dai-nos vossa guarida, livrai-nos da opressão, de toda maldade e violência, de tudo o que venha nos fazer objetos de prazer ou de lucro, para que vivamos em paz, na harmonia e na concórdia! Amém!

3º Mistério: Jesus é coroado de espinhos! Zombaram dele, dizendo: "Salve, Rei dos judeus" *(Mt 27,27-31)*. A dor do desprezo e da ingratidão é muito maior que qualquer outra dor. Jesus é gente, é humano e sofre a dor da agressividade e do desprezo. Ele permanece em silêncio. Quem sabe por que ama não revida. Seu amor é maior que o desprezo e a dor. Seu amor é ágape, é gerador de vida e não de morte. Façamos nossa parte junto com o Cristo para a redenção do mundo.

(Rezam-se o Pai-Nosso, *as dez* Ave-Marias, *o* Glória *e as invocações que se seguem.)*

– Virgem escolhida e Imaculada – Rogai por nós!
– Virgem e libertadora dos marginalizados – Rogai por nós!
– Virgem e companheira inseparável – Rogai por nós!

– Virgem e força dos humildes – Rogai por nós!
– Virgem e nosso Perpétuo Socorro – Rogai por nós!
– Virgem e Mãe da justiça – Rogai por nós!

Ó Mãe, que fostes consagrada ao Amor eterno do Pai, não nos deixeis ao sabor das coisas sem sentido para nossa vida, mas firmai nossos passos no caminho de Jesus! Amém!

4º Mistério: Jesus caminha para o calvário com a cruz que lhe puseram às costas! *(Jo 19,17-18)*. O amor generoso e silencioso de Cristo é imperioso. Como um cordeiro levado ao matadouro, não reclama, não se opõe, não hesita. Permanece firme, mesmo já diante da fraqueza física, porque seu amor e fidelidade são mais fortes que a morte, que o desprezo, que a ignomínia. Ele nos chama para o seguimento dele: "Quem quiser ser meu discípulo tome sua cruz todos os dias" (Mt 10,38-39).

(Rezam-se o Pai-Nosso, *as dez* Ave-Marias, *o* Glória *e as invocações que se seguem.)*

– Maria, que sois filha predileta do Pai – Rogai por nós!
– Maria, Mulher da paz – Rogai por nós!
– Maria, Mãe dos trabalhadores – Rogai por nós!
– Maria, força dos sofredores – Rogai por nós!
– Maria, esperança de todos os povos – Rogai por nós!

– Maria, Senhora dos Anjos e dos Santos – Rogai por nós!

Ó Mãe, sois a catedral iluminada do Senhor, pois sois o Templo de Deus, morada do Senhor, conservai-nos na comunhão e na partilha do amor. Vós sois nossa inspiração. Ajudai-nos a construir nossa vida, nossa família, nossa história! Amém!

5º Mistério: Jesus é crucificado e morre na cruz! Amor fiel até o fim! *(Lc 23,33-34)*. No meio de tanta dor e sofrimento, desprezo e zombaria, mesmo pregado na cruz, só quem ama verdadeiramente poderá dizer: "Pai, perdoai-lhes". No seguimento de Cristo, muitos cristãos entregaram sua vida. No seguimento de Cristo, podemos fazer a oferta de nossa vida, amando, perdoando, dialogando, praticando o bem. Em tudo, precisamos querer o bem e a salvação, como fez Jesus conosco. Senhor, tende piedade de nós.

(Rezam-se o Pai-Nosso, as dez Ave-Marias, o Glória e as invocações que se seguem.)

– Mãe do Senhor e do povo do Reino – Rogai por nós!

– Mãe do Senhor e Missionária da Igreja – Rogai por nós!

– Discípula de Jesus e Missionária das nações – Rogai por nós!

– Discípula de Jesus e Missionária de nossas Comunidades – Rogai por nós!

– Senhora do mundo e Mãe das Crianças – Rogai por nós!

– Senhora do mundo e Mãe dos Jovens – Rogai por nós!

Fortalecei, ó Mãe e Senhora, a vida de fé de todos e de cada uma de nós, de nossas Comunidades e ajudai-nos também a sermos discípulas-missionárias do Evangelho libertador de Jesus, vosso Filho e nosso Redentor! Amém!

MISTÉRIOS GLORIOSOS
A vida venceu a morte para sempre.
(Rezam-se às quartas-feiras e aos domingos)

Os que pensavam ter vencido saíram vencidos. A vida venceu a morte e a prepotência do mundo. Ele fez novas todas as coisas em sua ressurreição, centro de nossa fé. Sua ressurreição trouxe à vida humana uma nobreza indelével, e nada poderá apagá-la. Mesmo diante do desrespeito à vida, podemos levantar a cabeça e caminhar sem medo, pois Ele nos reergueu para a vida nova. Deixemo-nos tocar em cada dia de nossa vida pela ressurreição de Cristo.

1º Mistério: No terceiro dia, Jesus ressuscitou dos mortos! Ele não está aqui. Ressuscitou! *(Mt 28,5-6).* Deus já havia surpreendido o mundo com seu amor, dando-nos seu único Filho.

Outra vez surpreende a humanidade inteira e a cada um de nós com a ressurreição de Jesus. O Pai aprovou tudo o que Jesus realizou. Ele nos chama para viver a vida nova, formando nossa consciência nos valores do Evangelho, defendendo a vida e a dignidade dos pobres e oprimidos. A ressurreição nos faz solidários e irmãos verdadeiros, faz-nos filhos e filhas no Filho.

(Rezam-se o Pai-Nosso, *as dez* Ave-Marias, *o* Glória *e as invocações que se seguem.)*

– Maria, Coração cheio de amor – Rogai por nós!
– Maria, fina flor de Israel – Rogai por nós!
– Maria, força do povo peregrino – Rogai por nós!
– Maria, modelo de vida – Rogai por nós!
– Maria, encanto sublime do Senhor – Rogai por nós!
– Maria, estrela que nos guia – Rogai por nós!

Fazei de nós, ó Mãe e Senhora, pessoas decididas e fortalecidas na esperança e sempre dispostas a fazer o que Jesus nos mandar! Dai-nos a graça de viver a ressurreição de Cristo todos os dias de nossa vida, e em Cristo viver com alegria! Amém!

2º Mistério: Ascensão de Jesus ao céu! Ele está à direita do Pai! *(At 1,9).* A força do amor é invencível, pois é força da eternidade em nosso tempo. O orgulho e a autossuficiência dispensam o que é de Deus. Quanto engano! Sem Deus nada somos, nada podemos fazer, muito menos seremos gente de verdade. Deus é nossa plena realização, sem Ele não há futuro. Ele está junto do Pai e, ao mesmo tempo, no meio de nós. Bendito seja o Pai e seu Filho Jesus Cristo.

(Rezam-se o Pai-Nosso, *as dez* Ave-Marias, *o* Glória *e as invocações que se seguem.)*

– Mulher bendita, amor materno no meio de nós – Rogai por nós!

– Mulher santa e força dos que evangelizam – Rogai por nós!

– Mulher humilde e apoio dos fracos e sofredores – Rogai por nós!

– Mulher atenta aos necessitados – Rogai por nós!

– Mulher, que se fez servidora da vontade do Senhor – Rogai por nós!

– Mulher, que é santa de todos os santos – Rogai por nós!

Maria, Senhora tão cheia de vida, sois doce poesia, encanto sublime do Senhor, brisa leve da manhã e estrela, que brilha no céu, e nos mostrais o Senhor! Guiai nossa vida na fidelidade, na paz e na alegria! Amém!

3º Mistério: Jesus envia o Espírito Santo sobre os discípulos e Nossa Senhora! *(At 2,1-4)*
Jesus cumpriu o que havia prometido: enviou o

Paráclito de junto do Pai. O Espírito Santo é vida em nossa vida, é o amor sempre presente, que nos santifica e nos faz compreender agora tudo o que Jesus nos ensinou. É força divina, transformadora de nosso coração. Todas as vezes que agimos com amor e misericórdia para com nós mesmos e com nossos irmãos e nossas irmãs, é na sua força divina que agimos. É no Espírito de Cristo ressuscitado que chamamos Deus de Pai.

(Rezam-se o Pai-Nosso, *as dez* Ave-Marias, *o* Glória *e as invocações que se seguem.)*

– Senhora, nossa Mãe – Rogai por nós!
– Senhora dos excluídos – Rogai por nós!
– Senhora dos oprimidos – Rogai por nós!
– Senhora dos injustiçados – Rogai por nós!
– Senhora da paz – Rogai por nós!
– Senhora da esperança – Rogai por nós!

Ó Mãe, Esposa do Espírito Santo, desde a anunciação até a cruz, com Jesus, vós sois nosso amparo e a rocha que nos sustenta no caminho ao encontro de Jesus! Guiai-nos, em vossa bondade materna, e livrai-nos do caminho que não nos conduz à vida! Amém!

4º Mistério: Maria é elevada ao céu! Pelos merecimentos de Cristo, Maria foi elevada ao céu! *(Lc 1,46-47).* Como o barro nas mãos do oleiro, que dá a forma desejada à sua obra, Maria foi moldada no amor de Deus, pois deixou-

-se conduzir unicamente pela vontade divina. Fez-se sua serva fiel e incondicional. "Feliz de ti que acreditaste" – Lc 1,45. Todos vivemos na gratuidade do amor de Deus, que nos dá a vida. A gratuidade do amor de Maria a Deus e a nós é modelo que devemos seguir. E isso é possível, se deixarmos Deus ocupar seu lugar em nossa existência.

(*Rezam-se o* Pai-Nosso, *as dez* Ave-Marias, *o* Glória *e as invocações que se seguem.*)

– Virgem, que cuidais dos pobres com amor – Rogai por nós!

– Virgem, que cuidais de todas as Mulheres – Rogai por nós!

– Virgem, que cuidais de todas as Mães – Rogai por nós!

– Virgem, que cuidais das Crianças – Rogai por nós!

– Virgem, que cuidais dos Adolescentes – Rogai por nós!

– Virgem, que cuidais dos Jovens – Rogai por nós!

Ó Mãe do Belo Amor, vós sois a flor do jardim, que nos dá o perfume da paz, e nos devolveis a alegria de viver, de amar e de sorrir! Colocai-nos em vosso colo materno e protegei-nos, principalmente as mulheres mais desamparadas! Amém!

5º Mistério: Maria é coroada Rainha do céu e da terra! *(Lc 1,48).* A Mulher sem trono e sem reinos é nossa Rainha, pois, cumprindo a vontade do eterno Pai, deu-nos o Rei e Senhor do mundo: Jesus Cristo, nosso Salvador. Ela é a Rainha da humildade, da santidade, da pureza e do serviço no amor. Feliz quem aprende de Maria, tendo atitudes semelhantes e jeito iguais aos seus. Com sua força e presença maternas, Maria nos guia no caminho de Jesus. Sejamos fortes na fé, na esperança e nas atitudes, a exemplo de Maria, a Mãe de nosso Jesus Redentor.

(Rezam-se o Pai-Nosso, *as dez* Ave-Marias, *o* Glória *e as invocações que se seguem.)*

– Bendita Mãe de Deus – Rogai por nós!
– Bendita Senhora dos cristãos – Rogai por nós!
– Bendita Senhora dos Enfermos – Rogai por nós!
– Bendita Senhora dos Confessores – Rogai por nós!
– Bendita Senhora da vida e da morte – Rogai por nós!
– Bendita Senhora do céu e da terra – Rogai por nós!
– Bendita Senhora de todas as criaturas – Rogai por nós!

Maria, Senhora e Rainha nossa, fazei ressoar todos os dias, em nossos ouvidos e em nosso coração, a Palavra de Jesus, o Evangelho, que nos liberta e nos salva, que nos anima e nos dá sentido à nossa luta! Amém!

VI

Orações diversas
(As orações que se seguem poderão ser feitas na hora que mais se desejar)

Quero falar com Deus

Senhor, meu Deus, quero falar convosco. Como vossa filha, coloco-me diante de vós, que sois o meu Deus e Senhor. Sei que é por causa de vosso amor que me permitis estar diante de vós. Obrigado, Senhor, mas preciso de vosso auxílio divino, para eu viver dignamente minha vida de mulher (de mãe, de esposa) e me alegrar com a vocação que me destes: ser vossa filha! Vós me criastes com uma dignidade humana e divina, e eu quero assim viver. Fortalecei minha fé e minha esperança, dai-me vossa misericórdia para que minhas falhas e imperfeições sejam perdoadas. Senhor, eu confio e espero em vós, pois sois o meu Deus. Maria, Mãe do meu Senhor e Salvador, guiai-me no caminho de Jesus. Amém.

Dai-me, Senhor, vossa misericórdia

Senhor, meu Deus, eu me entrego à vossa misericórdia. Quero entregar-me inteiramente a vós, sem nenhuma reserva para mim. Sei que vós esqueceis tudo o que não fiz de bom, se me coloco confiante em vosso amor misericordioso. Vós não vos cansais de me perdoar. Eu quero, Senhor, caminhar com mais firmeza em minha vida, mas, às vezes, minha fraqueza me surpreende e eu vacilo e caio. Reerguei-me, Senhor, meu Deus, eu vos peço de todo o meu coração. Dai-me de novo vossa misericórdia. Maria Santíssima, Mãe de misericórdia, guiai-me até bem junto de Jesus. Amém.

A vida, dom divino

Senhor, meu Deus, eu vos agradeço o dom da vida, que me destes.

Gostaria que o céu de minha existência fosse sem tempestade, minha estrada sem acidentes ou tropeços, meu trabalho sem cansaço e minha vida com os outros sem decepções. Mas eu sei, Senhor, que as coisas não são ou não acontecem assim. Preciso de vosso auxílio divino, para viver em paz e sentir-me segura.

Alegro-me na certeza de vosso amor e de vossa bondade.

Alegro-me por me terdes feito vossa filha.

Alegro-me por ter uma família.

Agradecida, Senhor, quero viver em paz, na simplicidade, mas com dedicação sempre.

Maria, Mãe querida, ajudai-me a viver o dom da vida, na alegria e na paz. Amém.

Sou digna filha de Deus

Senhor, meu Deus amado, sei que posso contar todos os dias, e em cada momento de minha vida, com vossa força divina. Vós estais presente em minha vida com vosso amor e vossa misericórdia. Por isso, encontro a força de que tanto necessito para vencer minhas dificuldades pessoais e familiares.

Senhor, vós sabeis que há muita violência contra a mulher, dentro e fora do lar. Ajudai-me a vencer o mal com o bem, e não me deixeis sucumbir diante dessas dificuldades. Quero viver a dignidade, como vós me criastes, respeitá-la e promovê-la. Por isso, farei todo o possível para defender minha honra e a das mulheres feridas em sua existência.

Conservai-me, Senhor, no caminho de vosso Filho e não permitais que jamais eu me desvie dele. Maria, vós que sois a Mulher mais digna desta terra, conservai-me bem junto de vós e protegei-me. Amém.

A mãe falando com Deus

Senhor meu Deus, vós que me chamastes à vocação maternal, conservai-me em vosso caminho. Dai-me a graça de manifestar, em minha vida, a vida e a ternura de que o mundo tanto necessita. Ajudai-me a descobrir e mostrar vossa face materna e divina, pois as mães são reflexos de vosso desejo inefável: Vosso amor gerador de vida e de paz.

Vós estais ao meu lado nas horas de dificuldades, e nas instabilidades desta vida encontro vosso amparo, pois sois meu refúgio. Multiplicai meus dias para que eu possa continuar vivendo a vocação materna que me destes. Humildemente eu vos peço: acompanhai-me em todas as minhas vitórias e preocupações e sede a luz que me guia sempre, de dia ou de noite. Vossa Palavra seja minha força e minha luz.

Maria, Mãe de Jesus, vós, que fostes Mãe, Mulher e Esposa, sede meu amparo e guiai-me no caminho que me leva até vosso Filho Jesus, nosso Redentor. Amém.

A filha jovem falando com Deus

Senhor Deus de minha juventude, aproximo-me de vós com toda a força de meu coração, ainda inexperiente em muitas coisas, mas que busca em vós a força da vida, da paz e da esperança. Dai-me vosso vigor divino para eu tenha força em minha fragilidade humana. Não me deixeis ficar estagnada como o lodo dos charcos, dai-me uma paz inquieta que me faça buscar, com força, minha realização como vossa filha. Não quero a paz que aliena nem a que escraviza, quero a paz que me faz construir com dignidade meu ser e minha existência. Ajudai-me a ajudar o mundo a ser melhor. Junto de minha família, farei todo o possível para viver em comunhão e em harmonia com eles. É isso, Senhor, que meu coração está pedindo com muita força neste momento. Vossa Palavra me oriente e me guie. Maria, Mãe da Juventude, Jovem de Nazaré, fazei-me viver com dignidade, nobreza e simplicidade. Amém.

Oração pela Mulher

Ó Deus, hoje rezamos pela Mulher, criada em vosso desígnio de amor, à vossa imagem e semelhança. Ela manifesta em seu ser o que vós sois: ternura, beleza, dedicação e amor. Vós lhe destes a grande missão de ser Mulher, Mãe, Esposa. Perdoai-nos, Senhor, quando fizemos da Mulher um objeto de lucro, de prazer, de consumo. Que cada Mulher reconheça, Senhor, sua dignidade e sua missão. Que ela não aceite ser instrumentalizada e banalizada. Maria, Mulher por excelência, bendita entre todas, sede modelo e inspiração para todas as mulheres! Amém!

Sois ternura! Sois vida!

Ó maternidade bendita, chama que crepita e me ilumina.

Ó doce e suave ternura de um coração materno, que exala sem cessar amor e compaixão, vede quão grande é vossa missão.

Ó flor bonita do jardim da vida, que participa na obra da criação.

De Deus sois escolhida para trazer a vida e tornar o mundo mais pleno de amor. Coração, que só sabe amar.

Mãe, de face serena, mesmo queimada pelo sol; de mãos macias ou calejadas, que sabem afagar; de olhar fecundo, que sabe entender e é incapaz de condenar; de sorriso meigo, que acolhe e abranda a dor; de passos largos e apressados para acudir e acalentar...

Mãe, tão insuficientes são as palavras, por isso, quero dizer-vos: vós sois meu doce aconchego e meu abrigo, e eu só quero amar-vos! Vós sois o melhor amor! Obrigado, Senhor, pelo amor, que me ensinou a amar!

Oração da mãe

Ó Deus, vós me destes o dom da maternidade. Dai-me um coração suave e terno, um coração materno, que tenha sempre amor e compaixão. Eu quero cumprir minha missão, pois vós repartis, em minha maternidade, vosso dom de vida. Ajudai-me, Senhor, a tornar a cada dia mais fecundo meu amor por vós e pelos filhos que me destes. Que eu seja serena e sempre cheia de ternura, pois assim tenho certeza de superar qualquer dor ou tristeza. Quero, Senhor, o amor que contagia, que transforma, que une e que edifica a vida. Afastai para longe de mim atitudes egoístas, que ferem a vida. Obrigado, Senhor, digo-vos cheia de gratidão, por me fazerdes participar de vossa criação. Amém.

Prece do Coração

Ouvi cantos de vitória e me alegrei!

Ouvi cantos de festa e sonhei com a paz e a concórdia!

Ressoou em meus ouvidos o alarido das crianças, que na algazarra desabrochavam o gosto de viver, o gosto da vida!

Ecoou pelo mundo afora o grito do indigente, que, sem escrúpulo ou rancor, clamava por dignidade!

Exalou em minha existência a fragrância da dor do irmão que reclamava a falta de amor!

Mas vi também tantas mãos estendidas, para socorrer quem precisava!
Fiz-me surdo ao som da ganância e da injustiça e não fiz companhia aos que praticam a maldade!
Vi triunfar a beleza do amor solidário e sucumbir as iniciativas de desamor!
Nos palcos da história brilharam os mais frágeis, e os mais fortes foram destronados!
A verdade de Cristo nos educa e nos traz a liberdade em abundância. Só em Cristo somos realmente livres; longe dele reina a escravidão! Amém!

Copiosa Redenção
Ó bendita encarnação,
– **Deus amor, Deus perdão!**
Ó bendita salvação,
– **Deus amor, Deus perdão!**
Ó copiosa redenção,
– **Deus amor, Deus perdão!**
Ó bendita misericórdia,
– **Deus amor, Deus perdão!**
Ó bendito Santo e Santificador entre nós,
– **Deus amor, Deus perdão!**
Jesus Cristo, Deus amor, Deus perdão!
– **Fazei-nos verdadeiros irmãos e irmãs vossos,**
e seja nosso coração pleno de bondade,
– **de misericórdia, de caridade e de perdão!**
Nós vos saudamos, Pão angélico, Pão do céu, Pão da eternidade,
– **nós vos adoramos neste sacramento!**
Salve, Jesus, Filho de Maria,
– **na hóstia santa, sois o Deus verdadeiro! Amém!**

VII

Cânticos

1. Segura na mão de Deus
Segura na mão de Deus, segura na mão de Deus, pois ela, ela te sustentará. Não temas, segue adiante e não olhes para trás, segura na mão de Deus e vai.

1. Se as águas do mar da vida quiserem te afogar, segura na mão de Deus e vai. Se as tristezas desta vida quiserem te sufocar, segura na mão de Deus e vai.

2. Se a jornada é pesada e te cansa na caminhada, segura na mão de Deus e vai. Orando, je-

juando, confiando e confessando, segura na mão de Deus e vai.

3. O Espírito do Senhor sempre te revestirá, segura na mão de Deus e vai. Jesus Cristo prometeu que jamais te deixará, segura na mão de Deus e vai.

2. O Senhor me chamou a trabalhar

1. O Senhor me chamou a trabalhar,/ a messe é grande a ceifar./ A ceifar, o Senhor me chamou;/ Senhor, aqui estou.

Vai trabalhar pelo mundo afora,/ eu estarei até o fim contigo./ Está na hora, o Senhor me chamou;/ Senhor, aqui estou.

2. Dom de amor é a vida entregar,/ falou Jesus e assim o fez./ Dom de amor é a vida entregar;/ chegou a minha vez.

3. Todo o bem que na terra alguém fizer,/ Jesus no céu vai premiar;/ cem por um, já na terra Ele vai dar,/ no céu vai premiar.

3. Eu vim para escutar

1. Eu vim para escutar.

Tua Palavra, tua Palavra, tua Palavra ·de amor. (bis)

2. Eu gosto de escutar.
3. Eu quero entender melhor.
4. O mundo ainda vai viver.

4. Eu louvarei

Eu louvarei, eu louvarei,/ eu louvarei, eu louvarei,/ eu louvarei ao meu Senhor.

1. Todos unidos, alegres cantemos/ glória e louvores ao Senhor./ Glória ao Pai, Glória ao Filho, Glória ao Espírito de Amor.

2. Somos filhos de ti, Pai eterno,/ tu nos criaste por amor. / Nós te adoramos, te bendizemos e todos cantamos teu louvor.

5. Amar como Jesus amou

1. Um dia uma criança me parou,/ olhou-me nos meus olhos a sorrir./ Caneta e papel na sua mão,/ tarefa escolar para cumprir./ E perguntou no meio de um sorriso/ o que é preciso para ser feliz?

Amar como Jesus amou,/ sonhar como Jesus sonhou,/ pensar como Jesus pensou,/ viver como Jesus viveu,/ sentir o que Jesus sentia,/ sorrir como Jesus sorria/ e ao chegar ao fim do dia/ eu sei que eu dormiria muito mais feliz.

2. Ouvindo o que eu falei ela me olhou/ e disse que era lindo o que eu falei./ Pediu que eu repetisse, por favor,/ que não falasse tudo de uma vez./ E perguntou de novo num sorriso/ o que é preciso para ser feliz?

3. Depois que eu terminei de repetir,/ seus olhos não saíam do papel,/ toquei no seu rostinho e a sorrir/ pedi que ao transmitir fosse fiel./ E ela deu-me um beijo demorado/ e ao meu lado foi dizendo assim.

6. Ele tem o mundo em suas mãos

Ele tem o mundo em suas mãos,/ Ele tem o mundo em suas mãos./ Ele é meu Deus e nosso Deus,/ Ele é meu Pai e nosso Pai.

1. Ele fez o universo.
2. Ele é quem me deu a vida.
3. Ele amou a humanidade.
4. Ele deu seu próprio Filho.
5. Ele me adotou por filho.

7. Oração de São Francisco

Senhor, fazei-me instrumento de vossa paz. Onde houver ódio, que eu leve o amor;/ onde houver ofensa que eu leve o perdão;/ onde houver discórdia, que eu leve a união;/ onde houver dúvida, que eu leve a fé.

Onde houver erro, que eu leve a verdade;/ onde houver desespero, que eu leve a esperança;/ onde houver tristeza, que eu leve a alegria;/ onde houver trevas, que eu leve a luz.

Ó Mestre, fazei que eu procure mais: Consolar, que ser consolado.

Compreender, que ser compreendido. Amar, que ser amado.

Pois é dando, que se recebe;/ é perdoando, que se é perdoado; e é morrendo, que se vive para a vida eterna.

8. Estou pensando em Deus

Estou pensando em Deus,/ estou pensando no amor. (bis)

1. Os homens fogem do amor e, depois que se esvaziam,/ no vazio se angustiam e duvidam de você./ Você chega perto deles mesmo assim ninguém tem fé.

2. Eu me angustio quando vejo que, depois de dois mil anos,/ entre tantos desenganos, poucos vivem sua fé./ Muitos falam de esperança mas esquecem de você.

3. Tudo podia ser melhor se meu povo procurasse,/ nos caminhos onde andasse, pensar mais no seu Senhor./ Mas você fica esquecido e, por isso, falta amor.

4. Tudo seria bem melhor se o Natal não fosse um dia,/ e se as mães fossem Maria e se os pais fossem José./ E se a gente parecesse com Jesus de Nazaré.

9. Buscai primeiro

1. Buscai primeiro o reino de Deus e a sua justiça./ E tudo mais vos será acrescentado./ Aleluia, aleluia!

2. Nem só de pão vive o homem,/ mas de toda a Palavra, que procede da boca de Deus./ Aleluia, aleluia!

3. Se vos perseguem por causa de mim,/ não esqueçais o porquê,/ não é o servo maior que o Senhor./ Aleluia, aleluia!

4. Quer comais, quer bebais,/ quer façais qualquer coisa,/ fazei tudo pra glória de Deus./ Aleluia, aleluia!

10. Minha alegria
Minha alegria é estar perto de Deus. (bis)

1. Porém agora estarei sempre convosco,/ porque vós me tomastes pelas mão. (bis)

2. Porém agora cantarei a vossa glória,/ como um povo consagrado ao vosso amor. (bis)

11. Cantai ao Senhor
1. Cantai ao Senhor um cântico novo. *(3 x)*/ Cantai ao Senhor, cantai ao Senhor!

2. Porque ele fez, ele faz maravilhas. *(3 x)*/ Cantai ao Senhor, cantai ao Senhor!

3. É ele quem dá o Espírito Santo. *(3 x)*/ Cantai ao Senhor, cantai ao Senhor!

4. Jesus é o Senhor, amém, aleluia. *(3 x)*/ Cantai ao Senhor, cantai ao Senhor!

12. Magnificat
O Senhor fez em mim maravilhas,/ Santo é seu nome.

1. A minha alma engrandece o Senhor,/ exulta meu espírito em Deus, meu Salvador.

2. Pôs os olhos na humildade de sua serva./ Doravante, toda a terra cantará os meus louvores.

3. Seu amor para sempre se estende/ sobre aqueles que o temem.

4. Demonstrando o poder de seu braço,/ dispersa os soberbos.

5. Abate os poderosos de seus tronos/ e eleva os humildes.

6. Sacia de bens os famintos,/ despede os ricos sem nada.

7. Acolhe Israel, seu servidor,/ fiel a seu amor.

8. E à promessa que fez aos nossos pais,/ em favor de Abraão e de seus filhos para sempre.

9. Glória ao Pai, ao Filho, e ao Espírito. Desde agora e para sempre pelos séculos. Amém.

13. Ensina teu povo a rezar

Ensina teu povo a rezar,/ Maria, Mãe de Jesus,/ que um dia teu povo desperta/ e na certa vai ver a luz./ Que um dia teu povo se anima/ e caminha com teu Jesus.

1. Maria de Jesus Cristo,/ Maria de Deus, Maria-mulher,/ ensina a teu povo teu jeito/ de ser o que Deus quiser.

2. Maria, Senhora nossa,/ Maria do povo, povo de Deus,/ ensina o teu jeito perfeito/ de sempre escutar teu Deus.

14. Louvando a Maria

1. Louvando a Maria, o povo fiel a voz repetia de São Gabriel:

Ave, ave, ave, Maria. (bis)

2. O anjo descendo num raio de luz, feliz Bernadete à fonte conduz.

3. A brisa, que passa, aviso lhe deu que uma hora de graça soara do céu.

4. É um rosto suave, brilhante de amor, que cerca uma nuvem de belo esplendor.

5. Vestida de branco, ela apareceu, trazendo na cinta as cores do céu.

6. Mostrando um rosário na cândida mão, ensina o caminho da santa oração.

7. Estrela brilhante, celeste visão, guiai-nos um dia à eterna mansão.

15. Socorrei-nos, ó Maria

1. Socorrei-nos, ó Maria,/ noite e dia sem cessar;/ os doentes e os aflitos / vinde, vinde consolar!

Vosso olhar a nós volvei,/ vossos filhos protegei!/ Ó Maria, ó Maria!/ Vossos filhos socorrei!

2. Dai saúde ao corpo enfermo,/ dai coragem na aflição;/ sede a nossa doce estrela/ a brilhar na escuridão.

3. Que tenhamos cada dia/ pão e paz em nosso lar;/ e de Deus a santa graça/ vos pedimos neste altar.

4. Convertei os pecadores,/ para que voltem para Deus;/ dos transviados sede guia/ no caminho para os céus.

5. Nas angústias e receios,/ sede, ó Mãe, a nossa luz!/ Dai-nos sempre fé e confiança/ no amor do bom Jesus.

16. Virgem, te saudamos

1. Virgem, te saudamos, vem nos amparar./ Nós te suplicamos, vem nos amparar.

Ó Maria, Mãe de Deus,/ vem salvar os filhos teus.

2. Em qualquer perigo, vem nos amparar./ Dá-nos teu abrigo, vem nos amparar.

3. Cheia de bondade, vem nos amparar./ Salva a humanidade, vem nos amparar.

4. Quando o mal nos tenta, vem nos amparar./ Nosso amor alenta, vem nos amparar.

5. Em todos os dias, vem nos amparar./ Dá-nos alegria, vem nos amparar.

17. Viva a mãe de Deus

Viva a Mãe de Deus e nossa,/ sem pecado concebida!/ Viva a Virgem Imaculada,/ a Senhora Aparecida.

1. Aqui estão vossos devotos,/ cheios de fé incendida,/ de conforto e de esperança,/ ó Senhora Aparecida!

2. Protegei a santa Igreja,/ ó Mãe terna e compadecida; protegei a nossa Pátria,/ ó Senhora Aparecida!

3. Velai por nossas famílias,/ pela infância desvalida,/ pelo povo brasileiro,/ ó Senhora Aparecida!

18. Dai-nos a bênção

Dai-nos a bênção, ó mãe querida,/ Nossa Senhora Aparecida. (Bis)

1. Sob esse manto do azul do céu,/ guardai-nos sempre no amor de Deus.

2. Eu me consagro ao vosso amor,/ ó Mãe querida, do Salvador.

19. Graças vos damos

1. Graças vos damos, Senhora,/ virgem por Deus escolhida,/ para a mãe do Redentor,/ ó Senhora Aparecida.

2. Louvemos sempre a Maria,/ Mãe de Deus, autor da vida,/ louvemos com alegria/ a Senhora Aparecida.

3. E na hora derradeira,/ ao sairmos desta vida,/ intercedei a Deus por nós,/ Virgem Mãe Aparecida.

Índice

Introdução 3

I – As mulheres na Bíblia 7
    1. Eva 8
    2. Sara (ou Sarai) 8
    3. Rebeca 9
    4. Lia 9
    5. Raquel 9
    6. Débora 10
    7. Miriam 10
    8. Rute 11
    9. Ana 11
    10. Judite 11
    11. Ester 12
    12. Isabel 13
    13. Maria 13
    14. As Mulheres que fazem história hoje 14

II – A Oração do Terço: comunhão e partilha 17
   1. O significado da oração do Terço 18
   2. Acolhida 19
   3. Cuidar do ambiente 20
   4. Piedade 20
   5. Coordenação 21
   6. Organizar 22
      a) Tempo 22
      b) Distribuir as Funções 23

III – O que é e como rezar o Terço? 25
   1. O que é o Terço? 25
   2. Como rezar o Terço 26
   3. A oração leva à ação 27

IV – Orações para antes e depois do Terço 29
   1. Oração para o início do Terço 29
   2. Oração final 33

V – Contemplando os Mistérios do Terço 37
   Mistérios da Alegria 37
   Mistérios da Luz 42
   Mistérios Dolorosos 48
   Mistérios Gloriosos 53

VI – Orações Diversas 59

VII – Cânticos 67

A marca FSC® é a garantia de que a madeira utilizada na fabricação do papel deste livro provém de florestas que foram gerenciadas de maneira ambientalmente correta, socialmente justa e economicamente viável.

Este livro foi composto com as famílias tipográficas Bellevue, Book Antiqua, Segoe UI e Yeseva e impresso em papel Offset 75g/m² pela **Gráfica Santuário**.